Viande fumée et grillée

50 meilleures recettes d'aliments fumés

Arielle Dupont

Tous les droits sont réservés.

Avertissement

Les informations contenues dans i sont destinées à servir de collection complète de stratégies sur lesquelles l'auteur de cet eBook a effectué des recherches. Les résumés, stratégies, trucs et astuces ne sont que des recommandations de l'auteur, et la lecture de cet eBook ne garantira pas que les résultats refléteront exactement les résultats de l'auteur. L'auteur de l'eBook a fait tous les efforts raisonnables pour fournir des informations actuelles et exactes aux lecteurs de l'eBook. L'auteur et ses associés ne seront pas tenus responsables de toute erreur ou omission involontaire qui pourrait être trouvée. Le contenu de l'eBook peut inclure des informations provenant de tiers. Les documents de tiers comprennent les opinions exprimées par leurs propriétaires. En tant que tel, l'auteur de l'eBook n'assume aucune responsabilité pour tout matériel ou avis de tiers.

Table des matières

INTRODUCTION

si vous appréciez un bon barbecue de temps en temps, vous passez à côté si vous n'êtes pas avec Traeger Après tout, les Traeger sont des grillades au feu de bois. En fin de compte, le bois et le propane gagnent toujours. Le goût de cuire votre viande sur un feu de bois ou de charbon de bois vous donne est supérieur à tout le reste. La cuisson de votre viande sur du bois lui confère une excellente saveur.

Avec tout autre gril à granulés, vous devrez constamment surveiller le feu pour éviter les poussées, ce qui rend le baby-sitting très pénible.Cependant, Traeger a une technologie intégrée pour s'assurer que les granulés sont nourris régulièrement. Pour voir à quel point le gril est chaud, il mesure et ajoute ou enlève du bois aux / granulés pour contrôler la température Naturellement, un gril Traeger a un bouton de contrôle de température simple à utiliser

Vous pouvez choisir des grils bon marché aux grils coûteux de Traeger. Choisissez-en un entre 19 500 BTU ou 36 000 BTU. Tout est également possible. Les performances du gril varient en fonction de l'intensité du gril.

Ce ne sont pas que des grillades. Ce sont aussi des mélangeurs. Toute la zone de cuisson est masquée par des hottes que vous pouvez abaisser. La chaleur est forcée dans la zone de cuisson. Il est probable que l'air chaud et la fumée soient répartis uniformément pendant que vos aliments cuisent dans la casserole à cause de cela.

De plus, les grils Traeger sont également un four à convection. De manière générale, les Traeger sont assez indulgents. Juste pour illustrer ... vous pouvez utiliser un Traeger pour cuire un steak, ainsi qu'une pizza. Encore plus.

Il utilise également moins d'énergie. La configuration initiale prend 300 watts. mais seulement le début du processus. Après cela, l'ampoule n'utilise que 50 watts de puissance.

Qu'est-ce que le barbecue? Fumer ou griller?

Oui et non. Bien que l'usage le plus courant du terme «barbecue» décrive le gril de jardin, certaines personnes ont une définition différente du terme. Le barbecue peut être divisé en deux catégories: chaud et rapide et bas et lent.

La cuisson au gril utilise généralement une chaleur directe comprise entre 300 et 500 degrés. Il fait un excellent travail sur le steak, le poulet, les côtelettes et le poisson. Pendant que les aliments cuisent, vous devez les surveiller de près pour éviter de les brûler. Il ne prendra pas de saveur moins fumée. Surtout, c'est une façon simple et agréable de cuisiner; vous avez beaucoup de temps pour passer du temps avec vos amis et votre famille pendant le barbecue.

C'est bas et lent. La chaleur et les températures indirectes dans un fumeur se situent généralement entre 200 et 275. Si vous êtes déjà allé à Kansas City, à Memphis ou au Texas, vous savez de quoi je parle. Un morceau de viande fumé lentement ou faiblement peut prendre de 2 à 15 heures pour développer pleinement sa saveur naturelle. Lorsque vous regardez dans une viande fumée lentement, un «anneau de fumée» rose signifie que la viande est dans le fumeur depuis longtemps

Comment utiliser le bois dans les fumeurs de barbecue

L'essence d'un bon fumage au barbecue est le bois. C'est ce qui donne au plat sa saveur. Le bois était autrefois le seul combustible disponible, mais il est difficile de contrôler la température et la quantité de fumée atteignant la viande. De nos jours, la majorité des gens utilisent des fumeurs de charbon de bois, de gaz, de granulés ou électriques. Le bois est ajouté en morceaux, granulés ou sciure de bois, et il couve et produit une bonne quantité de fumée.

L'erreur la plus courante chez les débutants est de trop fumer la viande. Les débutants doivent commencer avec une petite quantité de bois et remonter. C'est une idée fausse courante que vous devriez faire tremper le bois avant de l'installer, mais cela ne fait pas beaucoup de différence. Le bois n'absorbe pas bien l'eau et s'évapore rapidement. Lorsque vous mettez du bois trempé sur du charbon de bois, cela les refroidit et vous voulez maintenir la température constante lorsque vous fumez de la viande.

Selon le type de bois que vous utilisez, la saveur que vous obtenez varie. Le meilleur type de bois est le bois sec et non vert. Il est important d'éviter les bois contenant de la sève comme le pin, le cèdre, le sapin, le Chypre, l'épinette ou le séquoia lors du choix du bois. La sève donne une saveur désagréable à la viande. De plus, les chutes de bois ne devraient jamais être utilisées car elles sont généralement traitées avec des produits chimiques. Ce n'est pas une bonne idée de fumer un barbecue. Le caryer, la pomme, l'aulne et le mesquite sont parmi les bois les plus populaires. Le caryer et le mesquite donnent à la viande une saveur puissante, il est donc préférable pour les viandes très épicées comme les côtes. Le bois de pomme et d'aulne produit une fumée plus douce et plus légère, idéale pour les viandes qui ne sont pas trop épicées, comme le poisson et le poulet.

Vous pouvez mélanger les chips directement avec le charbon de bois dans un fumoir barbecue au charbon de bois. Les morceaux de bois fonctionnent mieux sur les barbecues à gaz. Si vous avez du mal à faire brûler les morceaux de bois, essayez de les envelopper dans du papier d'aluminium et de couper des fentes dans le haut. Placez les morceaux de bois dans un sac en aluminium au-dessus des charbons ardents. Dans quelques minutes, le bois devrait commencer à brûler. Il est essentiel d'incorporer le bois dans le processus de fumage du barbecue dès que possible. La fumée est plus facilement absorbée par la viande froide.

Vous devez toujours peser la quantité de bois que vous mettez. Cela vous permet d'ajuster la quantité à chaque fois pour obtenir l'effet désiré. Selon l'épaisseur de la viande, la quantité variera. Pour les côtes levées, 8 onces pour la poitrine et le porc effiloché, et 2 onces pour le poulet, la dinde et le poisson, utilisez environ 4 onces de bois.

Si le bois commence à brûler ou s'il y a une longue fumée de barbecue, vous devrez peut-être faire preuve de créativité. Pour isoler davantage le bois, placez-le dans une poêle en fer au-dessus des charbons. Pour des fumées de barbecue plus longues, vous pouvez également fabriquer une bombe fumigène. Remplissez un moule en aluminium avec suffisamment d'eau pour couvrir les copeaux de bois et l'autre avec suffisamment d'eau pour couvrir les copeaux de bois. Celui qui n'est pas mouillé commencera à brûler tout de suite. Lorsque l'eau du second s'évapore, elle s'enflamme et brûle. Vous n'aurez pas à continuer à ouvrir la porte pour ajouter plus de bois de cette façon.

CHAPITRE UN
Plat principal

1. Côtes levées jerk jamaïcaines

Ingrédients

- 2000 g de côtes levées
- 2 gousses d'ail
- 2 oignons
- 4 piments (frais)
- 1 orange (jus)
- 2 cuillères à café de rhum (blanc)
- 4 cuillères à soupe de sucre de canne
- 8 cuillères à soupe d'huile végétale

- 1/2 cuillère à café de poudre de clou de girofle
- 1/2 cuillère à café de cannelle (moulue)
- 1/4 cuillère à café de nouvel assaisonnement (moulu)
- sel
- poivre

Préparation

1. Pour les côtes levées jerk jamaïcaines, commencez par peler et presser l'ail. Coupez le piment en fines rondelles. Si vous voulez que les côtes levées soient moins épicées, retirez les noyaux au préalable. Épluchez et hachez finement les oignons.

2. Mélangez les épices avec du sel et du poivre. Ajouter tous les autres ingrédients et bien mélanger. Placer les côtes levées dans la marinade pendant au moins 6 heures.

3. Retirer de la marinade, égoutter (mais récupérer la marinade) et griller à feu indirect pendant environ une demi-heure. Retourner les côtes levées jerk jamaïcaines encore et encore et badigeonner de marinade.

2. Côtes levées dans la marinade à la bière

Ingrédients

- 2500 g de côtes de porc Pour la marinade:
- 5 gousses d'ail (hachées finement)
- 1 oignon (finement haché)
- 250 ml de bière noire

- 1 cuillère à soupe de vinaigre
- 3 cuillères à soupe d'huile végétale
- 2 cuillères à soupe de sirop d'érable
- 125 ml de sauce Worcestershire
- 2 cuillères à soupe de harissa
- sel
- Poivre (fraîchement moulu)

Préparation

1. Mettez tous les ingrédients de la marinade dans une casserole et portez à ébullition. Ensuite, laissez-le refroidir.

2. Faites tremper les côtes levées dans la marinade au réfrigérateur pendant la nuit.

3. Le lendemain, sortez du réfrigérateur environ une demi-heure avant utilisation.

4. Égoutter les côtes et griller les côtes de tous les côtés pendant environ 10 à 15 minutes.

3. Cevapcici

Ingrédients

- 1 kg de viande hachée (mélangée: env.100g d'agneau, 200g de bœuf, 700g de porc)
- 1 cuillère à café de sucre
- 1 cuillère à café de soda
- 1/2 cuillère à café de poivre
- 1 cuillère à café de sel
- 2 cuillères à soupe d'huile
- Oignons (au goût)

Préparation

1. Pour les cevapcici, mettre tous les ingrédients à l'exception des oignons dans un bol, bien pétrir et laisser reposer environ 15 minutes.

2. Ensuite, façonnez les cevapcici et placez-les sur une plaque à pâtisserie. (Étant donné que la viande hachée est suffisamment grasse, la plaque à pâtisserie n'a plus besoin d'être graissée.) Couvrez la plaque de papier d'aluminium

et faites-la frire pendant environ 20 minutes à feu moyen.

3. En attendant, coupez les oignons en petits morceaux. Servir ensuite les oignons crus avec les cevapcici.

4. Côtes levées de porc sucrées

Ingrédients

- 1200 g de côtes de porc

- 1 citron vert (pour servir)
- Pour la marinade:
- 2 gousses d'ail
- 1 citron vert
- 1 piment rouge (rouge)
- 100 ml de sirop d'érable
- 3 cuillères à soupe de concentré de tomates
- 3 cuillères à soupe de vinaigre de cidre de pomme
- 1 cuillère à café de poudre de paprika (fumé)

Préparation

1. Pour les côtes levées sucrées, épluchez d'abord l'ail et pressez-le. Frottez le zeste de citron vert et pressez le jus. Noyauz le piment et hachez-le finement (si vous l'aimez plus épicé, laissez les graines avec). Mélangez tous les ingrédients de la

marinade. Faites-y mariner les côtes levées pendant la nuit.

2. Préchauffez le four à 180 ° C. Égouttez les côtes levées, mais récupérez la marinade. Rôtir au four pendant au moins 90 minutes jusqu'à ce que la viande soit tendre. Arroser de marinade entre les deux.

3. Servir des côtes levées sucrées avec des quartiers de lime.

5. Ailes de poulet

Ingrédients

- 10 ailes de poulet
- Le sel
- Poivre (grossier)
- Pour la marinade:
- 3 cuillères à soupe de sirop d'érable
- 2 cuillères à soupe de whisky
- 5 cuillères à soupe de sauce soja
- 1 cuillère à café de poudre de piment
- 1 cuillère à soupe de gingembre (frais, finement râpé)

Préparation

1. Pour les ailes de poulet, mélangez tous les ingrédients pour la marinade.
2. Saler les ailes de poulet, verser la marinade sur les ailes de poulet et laisser mariner une nuit.
3. Préparez le gril. Faites d'abord griller les ailes sur le gril sur le bord à feu doux pendant environ 15 minutes, en les badigeonnant avec le reste de la marinade plusieurs fois. Placez ensuite au centre du gril et faites griller à plein feu pendant environ 5 minutes pour que les ailes deviennent croustillantes.
4. Assaisonner les ailes de poulet avant de servir avec un peu de gros poivre.

6. Brochettes de porc satay

Ingrédients

Pour le porc:

- 600 g de feutre de porc
- 2 cuillères à soupe d'huile d'arachide
- 2 cuillères à soupe de sauce soja
- 2 limes (en quartiers)

Pour la sauce:

- 150 ml de lait de coco
- 1 cuillère à café de pâte de curry (rouge)
- 1 cuillère à soupe de miel (fin)

- 2 cuillères à café de beurre d'arachide
- 2 cuillères à café de sauce soja
- 2 cuillères à soupe de mayonnaise légère KUNER (25% de matière grasse)
- 1 citron vert (jus)

Préparation

1. Pour les brochettes de porc satay, coupez d'abord le filet de porc en petits morceaux, placez-le dans un bol moyen et ajoutez l'huile d'arachide et la sauce soja. Mettre au réfrigérateur pendant 2 heures pour mariner.

2. Faites chauffer le lait de coco dans une petite casserole avec la pâte de curry et laissez cuire quelques minutes. Ajoutez ensuite le miel, le beurre d'arachide et la sauce soja.

3. Retirez-le du poêle et laissez-le refroidir. Ajouter la mayonnaise et le jus de citron vert et bien mélanger la sauce satay.

4. Mettez le porc sur 8 brochettes de taille moyenne. Préchauffez une lèchefrite ou un gril.

5. Griller les brochettes de porc dans la poêle ou sur le gril pendant 3 à 4 minutes de chaque côté.

6. Badigeonner le porc d'un peu de sauce satay et griller encore 30 secondes de chaque côté ou jusqu'à ce que la sauce caramélise.

7. Les brochettes de porc satay sont servies avec le reste de la sauce satay et des quartiers de lime.

7. Filets de saumon sauvage grillés au citron vert et piment

Ingrédients

- 4 filets de saumon sauvage Quality First (décongelés)
- 1 lèchefrite

Pour la marinade:

- 4 cuillères à soupe d'huile d'olive de qualité First Toscana
- 2 limes bio
- 1 piment, dénoyauté
- 1 gousse d'ail
- 1 cuillère à café de mer sel (gros)

Préparation

1. Pour les filets de saumon sauvage grillés au citron vert et au piment, hachez d'abord finement le piment, puis pressez l'ail. Râpez le zeste des citrons verts et pressez les fruits. Mélangez tous les ingrédients dans une marinade.

2. Pelez la peau des filets de saumon et faites mariner les filets dans la marinade pendant 30 à 60 minutes.

3. Préparez le gril. Placez la lèchefrite sur le gril chaud. Retirer les filets de saumon de la marinade et bien égoutter. Placer dans la lèchefrite et griller 3 à 4 minutes de chaque côté.

4. Disposer les filets de saumon grillés sur des assiettes et y verser le reste de la marinade.

5. Les filets de saumon sauvage grillés au citron vert et au piment sont servis.

8. Contre-filet avec pain à l'ail

Ingrédients

- 500 g de contre-filet (ici: de Scotch Beef & Scotch Lamb)
- Chimichurri (selon la recette de baconzumsteak.de)
- ½ baguette

- huile d'olive, ail, sel et poivre
- de la salade fraîche

Préparation

1. Sortez le steak du réfrigérateur environ une heure avant de le griller afin qu'il puisse atteindre la température ambiante. La graisse est coupée et la viande est frottée des deux côtés avec du gros sel de mer.

Grillage

2. Le gril est préparé pour une cuisson directe à feu vif et le steak est grillé selon la méthode bien connue 90/90/90/90. À cette fin, la zone de grésillement du LE3 a été utilisée et la viande a ensuite été tirée dans le gril à un peu moins de 150 ° C jusqu'à une température à cœur d'env. 54 ° C. Pendant ce temps, l'huile d'olive est mélangée avec un peu de sel, du poivre et deux gousses d'ail pressées et étalée sur la baguette coupée. Le pain est

maintenant brièvement grillé sur le gril puis réparti sur la salade. Ajoutez-y un peu de chimichurri. Le steak était très juteux et avait un bon goût. Le sel et le poivre soutiennent parfaitement le goût sensationnel de la viande.

9. Burger de printemps à la Sauerland BBCrew

Ingrédients

- 600 g de bœuf haché (pour deux hamburgers)
- 8 tranches de fromage cheddar (ou autre fromage épicé)
- 1 tomate
- 6 tranches de bacon
- oignons
- salade
- fusée
- sel poivre

- pains à hamburger (éventuellement des toasts ou du pain pour la portion intermédiaire)
- sauce chipotle

Préparation

1. Vous assaisonnez d'abord le bœuf haché avec du sel / poivre et mélangez bien. Le haché est ensuite utilisé pour former des galettes de 150 g. La meilleure façon de le faire est d'utiliser une presse à hamburgers. La sauce chipotle est également préparée à l'avance.

Grillage

2. Le gril est préparé pour une cuisson directe à 200 - 230 ° C. Les galettes de hamburger sont d'abord grillées d'un côté pendant 3-4 minutes, puis elles sont retournées. Le fromage est maintenant placé sur le côté déjà grillé afin qu'il puisse bien couler. Pendant ce temps, faites griller le pain intermédiaire des

deux côtés pour qu'il soit bon et croustillant, ainsi que le bacon. Après encore 3-4 minutes, les galettes de hamburger sont prêtes.

3. Ensuite, le hamburger est surmonté: la partie inférieure du pain est d'abord recouverte de sauce chipotle, et le premier pain est planté sur le dessus. Ceci est surmonté de 2 tranches de tomates et de salade verte. Vient maintenant la partie intermédiaire, avec elle, vous prenez un demi-pain (ou du pain grillé ou du pain est également possible). Celui-ci est ensuite enrobé de sauce chipotle. Déposer la deuxième galette sur le dessus, puis le bacon, quelques oignons et un peu de roquette. La moitié supérieure du pain est enrobée de sauce et le double hamburger au bœuf est prêt - viande juteuse et épicée, bacon croustillant et sauce piquante!

10. Burger grec

Ingrédients

- 150 g de bœuf haché
- Feta
- Oignon (rouge)

- Pepperoni
- Olives
- 1 cuillère à soupe Gyros Rub
- Sirtaki
- Brioches à Burger
- Tsatsiki

Préparation

1. Commencez par mélanger le bœuf haché avec le gyros à frotter (1 cuillère à soupe par galette). Le hachis est bien malaxé pour que les épices soient uniformément réparties. Ceci est ensuite utilisé pour former des galettes de 150 grammes, ce qui est mieux fait avec une presse à hamburgers.

Grillage

2. Le gril est préparé pour une cuisson directe à 200 - 230 ° C. Les galettes de hamburger sont d'abord grillées pendant 4 à 5 minutes d'un côté, puis elles sont retournées. Après 4 à 5 minutes

supplémentaires, les galettes de hamburger sont prêtes. Ensuite, le pain est garni: étalez d'abord le tsatsiki sur la moitié inférieure du pain et garnissez-le de salade. Ensuite, vous posez la galette sur le dessus, recouvrez-la de tzatziki et complétez le hamburger avec quelques cubes de fromage feta, pepperoni, oignons et olives - le hamburger grec est prêt!

CHAPITRE DEUX
La viande de porc

11. Rôti de chou Bamberger

Ingrédients

- 500 g de chou blanc
- 3 cuillères à soupe de saindoux
- 2 oignons (coupés en petits dés)
- 250 g de porc (coupé en dés)
- 500 g de viande hachée (mélangée)
- 2 cuillères à soupe de graines de carvi
- sel
- poivre
- 125 ml de vin blanc

- 200 grammes de bacon; fumé (avec 4 portions 7 tranches étroites)

Préparation

1. Retirez les feuilles extérieures de la tête de chou. Retirez la tige avec un couteau de cuisine bien aiguisé, puis blanchissez le chou 10 minutes dans de l'eau bouillante. Égoutter sur un tamis. Décollez délicatement 3 grandes feuilles de chaque portion, hachez le chou restant en petits morceaux.

2. Faites chauffer 2/3 du saindoux dans une casserole. Faites-y revenir les oignons, le porc et la viande hachée. Mélanger avec le chou haché, assaisonner avec le carvi, le sel et le poivre. Versez le vin; laissez-le faible pendant 10 minutes.

3. Graisser un plat à gratin et l'étaler avec 2 feuilles de chou chacun. Verser la quantité braisée, couvrir avec les

tranches de bacon restantes. Mettez le saindoux restant sur le dessus en flocons.

4. Faire revenir le rôti Bamberg au four chauffé à 225 ° C pendant env. 45 minutes.

12. Joue de porc sur salade de lentilles

Ingrédients

- 1000 g de joue de porc
- 20 g de beurre clarifié
- 2 oignons
- 2 gousses d'ail
- sel
- poivre

- 1 épice de laurier
- 2 clous de girofle
- Poivres
- 0,5 cuillère à café de graines de coriandre
- 1 thym
- 1000 ml de soupe claire (instantanée)
- 200 g de lentilles en assiette
- 60 g fumé, strié
- 200 g de légumes mélangés (par exemple carottes, courgettes)
- 4 cuillères à soupe de vinaigre balsamique
- 4 cuillères à soupe d'huile

Préparation

1. Hachez la couenne de porc et le gras de la viande. Coupez la viande en 4 morceaux.
2. Faites frire dans le saindoux. Hachez les oignons et l'ail. Ajoutez la moitié à la viande. Ajoutez des épices. Verser 1/2

litre de soupe claire, cuire 45 minutes. Rincer les lentilles, faire revenir dans le reste de la soupe claire pendant 30 minutes. Sautez le bacon coupé en dés.

3. Ajouter le reste des légumes coupés en dés, l'ail et l'oignon. Cuire à la vapeur doucement pendant 5 minutes. Soumettez les lentilles égouttées. Goûter. Servez tout.

4. Conseil d'Armin Rossmeier: faites des lentilles dans de l'eau minérale.

5. Vous devriez commander des joues de porc à l'avance auprès de votre boucher. Lorsqu'ils sont préparés sous forme de bouillon de volaille chaud, ils restent juteux et ne s'échappent pas. Faire tremper les lentilles la veille dans de l'eau minérale

13. Salade de tomates au porc grillé

Ingrédients

- 1 oignon
- 2 gousses d'ail
- 4 cuillères à soupe d'huile d'olive
- 60 ml de sherry
- 2 cuillères à soupe de jus de citron
- 1 cuillère à café d'origan séché
- sel
- poivre du moulin

- 500 g de filet de porc paré prêt à cuire
- coriandre moulue
- 6 tomates

Etapes de préparation

1. Épluchez l'oignon et l'ail, coupez l'oignon en lanières et hachez finement l'ail. Faire suer ensemble dans 1 cuillère à soupe d'huile dans une poêle chaude jusqu'à ce qu'ils soient translucides. Déglacer avec le sherry et le jus de citron, retirer du feu, saupoudrer d'origan et assaisonner de sel et de poivre.

2. Rincez la viande, séchez-la et coupez-la en fines tranches de 0,5 cm. Assaisonner de sel, poivre et coriandre, arroser de 2 cuillères à soupe d'huile et cuire des deux côtés sur le gril chaud pendant 3-4 minutes.

3. Lavez les tomates, coupez la tige et coupez les tomates en tranches. Disposition sur un grand plateau ou 4

assiettes. Étalez la viande sur le dessus, arrosez la vinaigrette avec le reste de l'huile dessus et laissez infuser environ 10 minutes avant de servir.

14. Porc grillé avec salade mixte

Ingrédients

- 1 kg de cou de porc
- 2 cuillères à soupe de miel
- 1 jus de citron
- 4 cuillères à soupe d'huile d'olive
- 1 cuillère à café de paprika noble sucré

- flocons de piment
- Pour la salade
- 150 g de laitue mixte zb frisée, radicchio, mâche
- 4 cuillères à soupe de vinaigre balsamique blanc
- sel
- 1 pincée de sucre
- 6 cuillères à soupe d'huile de tournesol

Etapes de préparation

1. Rincer le cou de porc, sécher en tapotant et couper en 8 tranches à peu près également fines. Mélanger le miel avec le jus de citron, l'huile, le paprika et les flocons de piment et bien mélanger la marinade avec les tranches de viande dans un bol. Couvrir et laisser reposer au réfrigérateur pendant au moins 2 heures.
2. Préchauffez le four pour la fonction gril.
3. Lavez et nettoyez la laitue, égouttez-la bien et cueillez-la en petits morceaux.

Mélanger le vinaigre balsamique avec le sel et le sucre et incorporer l'huile.

4. Griller les steaks sur une grille au four (sous la lèchefrite) pendant 2-3 minutes de chaque côté.

5. Mélangez la salade avec la vinaigrette et répartissez-la sur des assiettes. Ajouter le porc grillé et servir saupoudré de feuilles d'herbes déchirées.

15. Brochettes du grill

Ingrédients

Pour la marinade

- 4 gousses d'ail hachées
- ½ cuillère à café de sel
- 1 citron
- 5 feuilles de sauge hachées

- 1 cuillère à café de feuilles de thym hachées
- 1 cuillère à café d'aiguille de romarin haché
- 3 cuillères à soupe de persil haché
- ½ cuillère à café de poivre blanc
- 250 ml d'huile d'olive

Pour la viande

- 400 g de veau
- 300 g de viande de porc
- 300 g de bœuf de la jambe
- 300 g d'oignons
- 1 poivron rouge
- 1 poivron vert

Etapes de préparation

1. Mélangez tous les ingrédients de la marinade. Coupez la viande en dés et placez-la dans la marinade. Couvrir et laisser reposer 1 heure. Tournez entre les deux. Épluchez et coupez les oignons en

huitièmes. Coupez les poivrons en quartiers,

2. Supprimez les cœurs et les partitions. Coupez les poivrons en gros morceaux. Mettez la viande, les oignons et les morceaux de poivron en alternance sur les brochettes. Placer sur la grille et griller de chaque côté pendant env. 6-8 minutes (selon la taille), retourner entre les deux et badigeonner de marinade.

16. Brochettes de porc et bacon

Ingrédients

Pour la trempette

- 1 échalote
- 1 pomme

- 100 g de poireau
- 1 cuillère à soupe d'huile végétale
- 2 cuillères à café de curry en poudre
- ½ cuillère à café de cumin moulu
- 100 ml de bouillon de légumes
- 100 ml de crème fouettée
- 100 g de yaourt nature
- sel
- poivre de Cayenne
- jus de citron
- 1 cuillère à soupe de coriandre fraîchement hachée

Pour les brochettes de viande

- 600 g de filet de porc prêt à cuire
- 12 tranches de bacon à déjeuner
- sel
- poivre du moulin
- 2 cuillères à soupe d'huile végétale

Etapes de préparation

1. Pour la trempette, épluchez l'échalote et coupez-la en petits dés. Lavez et hachez la pomme. Nettoyez, lavez et coupez le poireau. Faire suer le tout dans une casserole dans de l'huile chaude. Saupoudrer de curry et de cumin et verser sur le bouillon et la crème. Faites cuire le tout jusqu'à ce qu'il soit tendre, puis réduisez-le en purée finement. Incorporer le yogourt et assaisonner avec du sel, du poivre et du jus de citron. Pour servir, remplir des bols et garnir de coriandre fraîchement hachée.

2. Lavez la viande, séchez-la, parez si nécessaire et coupez-la en 12 médaillons de même taille. Enveloppez chaque médaillon d'une tranche de bacon, assaisonnez de sel et de poivre et collez 2 médaillons sur une brochette en bois.

3. Préchauffer le four à 180 ° C haut et bas. Faites chauffer l'huile dans une poêle et

faites revenir les brochettes de viande brièvement et épicées. Retirer et cuire au four préchauffé en 8 à 10 minutes.

4. Disposer les brochettes sur des assiettes et servir la trempette au curry.

17. Barbecue: côtes levées sauce au miel

Ingrédients

- 2000 g de côtes levées (côtes pelées, coupées en 2-3 côtes)
- 3 bouquets de légumes verts à soupe
- 2 gousses d'ail
- 3 cuillères à soupe d'huile
- 1 cuillère à soupe de sauce Worcestershire ou de sauce soja
- 3 cuillères à soupe Paradeismark
- 1 cuillère à soupe de miel
- 1 cuillère à soupe d'oranges (jus)
- 2 cuillères à café de grains de poivre
- 1 piment rouge; ou 1 cuillère à café de Tabasco

- 3 cuillères à soupe de sauce soja
- 1 cuillère à soupe de ketchup

Préparation

1. Couvrir la viande avec les légumes verts à soupe nettoyés et grossièrement hachés, un peu de sel et de grains de poivre et cuire environ 15 minutes. Presser l'ail avec le piment fort dénoyauté et haché, mélanger 1 cuillère à soupe d'huile et le reste des ingrédients. Badigeonner la viande avec la marinade et laisser tremper pendant au moins 4 heures (un jour c'est mieux).

2. Avant de griller, essuyez la marinade à plusieurs reprises avec le pinceau.

3. Badigeonner légèrement les côtes levées d'huile, puis griller de tous les côtés pendant environ 20 minutes. Vers la fin du temps de cuisson, étalez la marinade et terminez la cuisson jusqu'à ce que les

côtes soient caramélisées et croustillantes.

18. Côtes levées BBQ

Ingrédients

- 300 ml de ketchup
- 250 g de miel
- sel
- poivre
- 1 coup de Tabasco
- 2 cuillères à café d'origan (séché)
- 20 ml de vinaigre de vin blanc
- 2 cuillères à soupe Paradeismark

- 1 cuillère à soupe de poivre de Cayenne
- 1200 g de côtes levées (porc, entières)

Préparation

1. Pour les côtes levées BBQ, mélangez d'abord le ketchup aux tomates avec le miel, le sel et le Tabasco, l'origan, le poivre, le vinaigre et la pulpe de tomate à une sauce.

2. Hachez la graisse du carré. Frottez avec du sel, du poivre et du poivre de Cayenne.

3. Griller à feu moyen pendant 20 minutes de chaque côté, en retournant plusieurs fois de l'autre côté. Étalez d'abord un peu de sauce sur les côtes, puis badigeonnez le dessus. Répétez ce processus jusqu'à ce que la sauce soit épuisée.

4. Les côtes levées barbecue sont mieux préparées dans le gril de la bouilloire. Le temps de cuisson est d'environ 45 à 50 minutes. Lors de la préparation au four, cuire au four chauffé à 220 degrés

pendant un total de 40 minutes. Procédez de la même manière que pour les grillades.

19. Joues de porc du fumeur

Ingrédients

- 0,5 kg de joues de porc (4 pièces)
- Sauce BBQ de votre choix
- 300 - 500 ml de vin rouge

Préparation

1. Les joues de porc sont assaisonnées avec un frottement de votre choix, puis marinées pendant 12 à 24 heures.

Grillage

2. Le fumoir / grill est préparé pour une cuisson indirecte à 100 ° C. Dans un premier temps, les joues de porc sont fumées doucement pendant 3 heures. Pour la deuxième phase, la température du gril est augmentée à 140 ° C. La viande est placée dans un bol approprié, dans lequel le vin rouge est versé pour la cuisson à la vapeur. Mettez un peu de sauce BBQ sur les joues, puis fermez le récipient. Les joues de porc sont cuites à la vapeur pendant 2 heures. Dans la dernière phase, la viande est retirée de la coque et grillée à 100 ° C. Vous pouvez l'éponger 1 à 2 fois avec le mélange de vin rouge et de sauce. Au bout de 6 heures au total, les joues de porc du fumeur sont prêtes: incroyablement tendres et juteuses!

20. Sandwich au cochon de lait

Ingrédients pour

- cochon de lait (précuit),
- pain,
- mâche,
- oignons,
- concombres,
- tomates,

- Sauce barbecue

Préparation

1. Le cochon de lait congelé est décongelé lentement au réfrigérateur la veille de sa cuisson. La laitue d'agneau, le concombre et les tomates sont lavés et préparés pour la garniture du sandwich. L'oignon est coupé en rondelles.

Grillage

1. Le gril (ou le four) est d'abord chauffé à une chaleur indirecte de 120 ° C. La viande est placée sur un plat ignifuge rempli d'eau avec un insert afin que la graisse goutte dans l'eau. La viande est ainsi frite pendant environ 60 minutes. Pour donner à la croûte une finition parfaite, la température est augmentée à env. 200 ° C après 60 minutes. Il est maintenant important que vous ayez suffisamment de chaleur par le haut pour la croûte. Si nécessaire, vous pouvez

également placer la viande avec la croûte vers le bas directement sur le feu. Après environ 15 minutes, la croûte devrait être prête. Mais ici s'il vous plaît agissez selon vos sentiments pour que la croûte ne brûle pas - ce serait dommage! Les tranches de pain sont brièvement grillées des deux côtés à feu direct.

CHAPITRE TROIS
Poisson

21. Flétan grillé

Ingrédients

- 4 flétan

- Huile d'olive (pour marinade)
- 8 tranche (s) de bacon hamburger
- 4 tranche (s) de citron
- Romarin (pour la marinade)
- Ail (pour la marinade)
- Poivre (pour la marinade)

Préparation

1. Pour le flétan du gril, enrobez les filets de flétan avec la marinade aux herbes. Déposer une tranche de citron sur chaque filet et envelopper le poisson de bacon. Griller à feu direct.

Ingrédients

- 4 morceaux de mer brème
- 2 morceaux de citron
- 3 cuillères à soupe de thym
- 4 cuillères à soupe de mer sel
- 200 ml d'huile d'olive
- 4 cuillères à soupe de poivre citron
- Assaisonnement BBQ

Préparation

1. Pour la mer grillée dorade, mélanger les ingrédients dans une marinade et faire mariner la dorade pendant au moins 30 minutes. Ensuite, placez le poisson sur le

gril et assaisonnez avec une épice pour barbecue pendant la cuisson.

2. Faites griller le poisson jusqu'à ce que la peau soit croustillante. Le plat de dorade grillée et servir.

23. Bar grillé avec pommes de terre au

persil

Ingrédients

- 2 morceaux de mer bar (entier, prêt à rôtir, env.250 g chacun, non compris)
- Assaisonnement de poisson (ou assaisonnements appropriés: sel, poivre, paprika, herbes, jus de citron)
- huile d'olive
- 8-10 pommes de terre
- persil
- beurre
- sel

Préparation

1. Pour le bar grillé, lavez le poisson et séchez-le; frottez avec les épices et l'huile d'olive et laissez infuser un peu (1 à 2 heures, si vous le souhaitez, également toute la nuit).

2. Ensuite, placez le poisson dans une tasse en aluminium et faites griller au four pendant environ 10 minutes (un peu moins selon la couleur), puis retournez et faites griller à nouveau pendant environ 10 minutes.

3. Pour les pommes de terre au persil, cuire les pommes de terre jusqu'à ce qu'elles soient tendres, les éplucher et les couper en deux ou en quatre. Faire fondre le beurre dans une poêle, ajouter le persil haché et faire revenir brièvement. Mettez les pommes de terre dans le beurre, assaisonnez de sel et secouez vigoureusement la casserole pour que tout se mélange bien.

4. Le bar grillé avec plat de pommes de terre au persil.

24. Truite grillée

Ingrédients

- 1 pc de truite (environ 300 g, prête à cuire)
- Sel (à frotter)
- 1 brin (s) de romarin
- 1 branche (s) hysope
- 1 brin (s) d'estragon
- 1 brin (s) d'origan
- 7 feuilles de sauge

- Un peu de basilic citron

Préparation

1. Pour la truite grillée, lavez d'abord la truite, séchez-la et frottez le sel à l'intérieur et à l'extérieur. Farcir les herbes dans la cavité abdominale et serrer le poisson dans des pinces à poisson.

2. Faire griller sur le gril pendant environ 15 minutes, en les retournant fréquemment.

25. Maquereau grillé

Ingrédients

- 1 pc de maquereau
- Feuilles de laitue
- 3 cuillères à soupe de sel
- 1 cuillère à café de wasabi (en poudre ou en tube)
- 1 cuillère à soupe de sauce soja
- citron

Préparation

1. Pour le maquereau, écaillez, lavez et retirez les entrailles.
2. Tranchez le poisson jusqu'à la nageoire dorsale avec un couteau, puis vous

pouvez l'étaler à plat. Salez les deux côtés du poisson et laissez-le reposer un peu.

3. Faites frire le poisson salé à l'intérieur sur le grillage préchauffé et huilé. Si vous le faites rôtir au four, préchauffez également la plaque à pâtisserie huilée.

4. Étalez les feuilles de laitue dans une assiette, posez le maquereau grillé dessus et garnissez-le de persil et de quartiers de citron.

5. La sauce wasabi est servie séparément.

26. Anchois grillés

Ingrédients

- 1 kg d'anchois
- un peu de sel (gros)
- un peu d'huile d'olive
- 1 brin (s) de romarin

Préparation

1. Pour les anchois grillés, nettoyez d'abord les anchois, retirez les branchies et coupez les têtes.

2. Faites une incision sur le côté le long de la colonne vertébrale et séchez bien avec une serviette en papier. Saler les anchois uniquement à l'extérieur avec du gros sel.

3. Faites bien chauffer le gril et huilez un peu d'huile d'olive. Faites frire les anchois des deux côtés pendant 3 à 5 minutes. Tournez le poisson une seule fois. Entre les deux, badigeonnez avec le brin de romarin trempé dans l'huile d'olive.

4. Griller les anchois jusqu'à ce que la peau soit dorée et croustillante.

5. Les anchois grillés sont servis immédiatement.

27. Filet de sébaste grillé dans une feuille de bananier

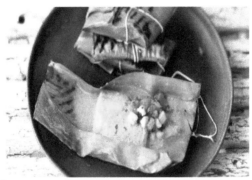

Ingrédients

- Feuilles de banane
- 800 g de sébaste
- Herbes culinaires (par exemple aneth, basilic, mélisse)
- 4 bout (s) d'ail
- 200 ml de vin blanc
- zeste d'orange
- 100 ml d'huile
- le vinaigre
- poivre
- sel

Préparation

1. Pour le filet de sébaste grillé dans la feuille de bananier, commencez par mettre le sébaste en filet et placez les filets dans un plat plat. Faites chauffer l'huile et faites griller brièvement l'ail, les herbes et le zeste d'orange. Éteignez avec le vin blanc et le vinaigre et laissez cuire environ 2 minutes. Laisser refroidir et répartir uniformément sur les filets de poisson encore tièdes. Couvrir d'un film alimentaire et laisser mariner dedans pendant au moins 2 heures.

2. Coupez les feuilles de bananier en morceaux de 20 cm de long et faites-les blanchir à l'eau salée pendant 30 secondes. Déposer les filets de poisson égouttés sur le dessus. Assaisonnez le poisson avec du poivre et du sel, puis pliez-les dans un sachet.

3. Faites griller les colis des deux côtés pendant environ 2 minutes et laissez-les

reposer sur le gril pendant encore 4 minutes. Servir le filet de sébaste grillé dans la feuille de bananier.

28. Brochettes de lotte à la mangue

Ingrédients

- 600 g de filets de lotte
- 2 mangues mûres
- 1/2 citron (non traité)
- 2 brin (s) de persil
- 4 cuillères à soupe d'huile d'olive
- sel
- Poivre (fraîchement moulu)
- Brochettes de bois

Préparation

1. Pour les brochettes de lotte à la mangue, rincer les filets de lotte à l'eau froide et les éponger. Couper en cubes d'env. 3 x 3 cm.

2. Frottez un peu de zeste de citron et pressez le jus. Cueillir les feuilles de persil des tiges et les hacher finement. Mélangez l'huile d'olive avec le jus de citron, le persil, le sel et le poivre jusqu'à une marinade. Placez-y les cubes de lotte et couvrez bien avec la marinade. Couvrir et laisser tremper au frais pendant au moins 30 minutes.

3. Épluchez les mangues et retirez le noyau. Coupez également en cubes. Mettez alternativement les cubes de lotte et de mangue sur des brochettes.

4. Les brochettes de lotte et de mangue sur le gril du barbecue chaud environ 12 minutes, en les retournant souvent.

29. Brochettes de poisson de la grille

Ingrédients

- 600 g de filet de lieu jaune
- 1 cuillère à soupe de jus de citron
- 1 boîte (s) d'ananas
- 4 oignons
- 1 poivron
- sel
- Poivre (fraîchement moulu)

- 4 brochettes en bois (trempées dans l'eau)

Pour la trempette:

- 1 sachet de crème fraîche
- 2 cuillères à soupe de mayonnaise
- 1/2 cuillère à café de curry en poudre
- 1 cuillère à soupe de jus d'ananas
- sel
- Poivre (fraîchement moulu)

Préparation

1. Rincez les filets de lieu jaune, séchez-les, coupez-les en petits morceaux et arrosez-les du jus d'un citron.
2. Mettez l'ananas sur un tamis et égouttez - récupérez le jus.
3. Retirez la peau des oignons et coupez-les en deux.
4. Nettoyez, rincez et coupez le poivron en morceaux.
5. Placez les ingrédients en alternance sur des brochettes et assaisonnez de sel et de

poivre. Badigeonner d'huile et faire griller pendant 10 à 15 minutes, en les retournant fréquemment.

6. Remuez la crème fraîche avec le majo jusqu'à consistance lisse et assaisonnez avec du sel, du poivre, du curry en poudre et du jus d'ananas. Apportez la sauce au curry aux brochettes sur la table.

30. Saumon de la planche de cèdre

Ingrédients

- 1 filet de saumon

Pour la marinade

- 1 cuillère à soupe de moutarde
- 1 cuillère à soupe de beurre (fondre)
- 1 cuillère à soupe de miel
- chaque 1 pincée de sel, poivre

Préparation

1. Environ 1 heure avant la cuisson, mettez la planche de cèdre dans l'eau. La meilleure chose à faire est de l'alourdir avec un objet pour qu'il aspire suffisamment d'eau. En attendant, sortez le saumon du réfrigérateur et laissez-le atteindre la température ambiante. Enfin, mélangez les ingrédients de la marinade avec laquelle le filet de saumon sera enrobé plus tard.

Grillage

2. Le gril est préparé pour une cuisson directe et indirecte à une température de 180 ° C.Une fois la température atteinte, placez la planche de cèdre humide sur le côté direct du gril et attendez qu'elle commence à fumer (après 10-15 minutes). Ensuite, la planche est prête pour le saumon. La planche de cèdre est

retournée et poussée sur la zone indirecte. Les filets de saumon viennent maintenant du côté «carbonisé» et sont généreusement enrobés de marinade. Ensuite, le couvercle est fermé et les filets sont grillés pendant environ 20 à 25 minutes jusqu'à ce que la surface soit belle et brune ou que le poisson ait atteint une température à cœur de 58 à 60 degrés Celsius.

CHAPITRE QUATRE

la volaille

31. Rouleaux de fromage à la crème de dinde

Ingrédients

- 4 tranches de poitrine de dinde
- 5 g de mélange d'assaisonnement pour volaille
- 15 olives noires
- 4 tomates séchées au soleil
- 150 g de fromage à la crème
- 1 cuillère à soupe de chapelure
- 1 cuillère à soupe d'herbes de Provence

Préparation

1. Pour cette recette, nous avons besoin de tranches de poitrine de dinde aussi fines que possible. Pour ce faire, les tranches de poitrine de dinde sont à nouveau travaillées avec un batteur, similaire à celui connu du schnitzel, jusqu'à ce qu'elles soient uniformément fines.

2. La viande finement pilée est saupoudrée du mélange d'épices pour volaille. Ensuite, il s'agit de la garniture, coupez les tomates et les olives en petits morceaux et mélangez-les avec le fromage à la crème. Pour améliorer la consistance de cette masse, de la chapelure est ajoutée.

3. Badigeonner les tranches de dinde du mélange de fromage et parsemer d'herbes de Provence. La tranche de viande finie doit maintenant être enroulée. Il est important que la tranche

de viande soit bien enroulée, sinon elle pourrait s'effondrer sur le gril.

4. Pour que notre rouleau de poitrine de dinde puisse briller non seulement en termes de goût, mais aussi esthétiquement sur le gril, nous fabriquons une brochette de rouleau à partir du rouleau. Coupez le rouleau en morceaux d'env. 3 cm de large et brochette 3-4 pièces à plat.

32. Magret de canard grillé

Ingrédients

- 2 filets de magret de canard à 350 g
- 1 cuillère à café de sucre
- 1 cuillère à café de poudre de paprika
- 1 cuillère à café d'ail en poudre
- 1/2 cuillère à café de flocons de piment
- 1/2 cuillère à café de cumin

- Un peu de sel et de poivre
- 5 cuillères à soupe d'huile d'olive

Marinade

- Nous fabriquons une marinade épicée à partir de sucre, de paprika, d'ail, de piment, de cumin et d'huile d'olive. Frottez bien les deux magrets de canard avec et laissez infuser environ une demi-heure.

Préparation

1. Avant de griller, la couche de graisse du magret de canard doit être légèrement coupée avec un couteau bien aiguisé. Le gril doit être bien préchauffé. Nous faisons griller le magret de canard pendant deux minutes des deux côtés à feu direct. Ensuite, nous continuons à griller indirectement pendant une dizaine de minutes. Le thermomètre à noyau devrait indiquer une température

de 68 degrés, alors le magret de canard est parfait.

2. Coupez le magret de canard en tranches et servez avec de la mâche.

33. Poulet au café et aux prunes

Ingrédients

- 2 cuillères à soupe de café Cannonball Rub

- 2 cuillères à soupe de prunes séchées
- 2 cuillères à soupe d'huile d'olive
- 1 cuillère à soupe de sirop d'érable
- 2 cuillères à café de confiture de prune

Préparation

1. Hachez les prunes séchées et mélangez tous les ingrédients dans une marinade, que vous remplissez ensuite avec les cuisses dans un sac de congélation. Sceller le sac et masser la marinade dans la viande. Le tout est maintenant au réfrigérateur pendant au moins 1 à 2 heures.

2. Griller les cuisses de poulet à environ 200 degrés dans la plage indirecte. Après environ 35 à 40 minutes, la température à cœur est de 80 degrés. Selon ce que vous préférez, vous pouvez laisser la peau se crisper brièvement à la chaleur directe.

34. Magret de canard grillé

Ingrédients

- 2-3 poitrines de canard

- 10 brins de thym
- 2 cuillères à soupe d'huile d'olive
- sel
- Poivre (fraîchement moulu)

Préparation

1. Pour le magret de canard grillé, rincez les poitrines de canard à l'eau froide et séchez soigneusement.

2. Cueillir les feuilles de thym des tiges et les hacher finement. Mélangez l'huile d'olive avec le thym haché, le sel et le poivre dans une marinade. Placer les magrets de canard dans la marinade et laisser infuser.

3. Saisir les magrets de canard sur le gril chaud en premier côté peau, la peau doit être vraiment croustillante. Retourner et faire frire aussi le côté viande. Placez 3 morceaux de papier d'aluminium sur la surface de travail. Retirez maintenant les magrets de canard du gril et enveloppez-

les dans du papier aluminium. Remettre sur le gril et faire frire environ 12 minutes. La viande de canard doit encore être rose tendre à l'intérieur. En attendant, tournez-le souvent.

35. Poitrines de poulet grillées marinées aux herbes

Ingrédients

- 125 g de QimiQ
- 50 g d'huile d'olive
- 50 ml d'eau
- 1 cuillère à soupe de sucre (brun)
- 40 g d'herbes (fraîches, hachées)
- 3 gousse (s) d'ail (finement hachée)
- 3 cuillères à soupe de jus de citron
- 1 cuillère à soupe de Tabasco
- sel
- poivre
- 8 morceaux de poitrines de poulet

Préparation

1. Pour les poitrines de poulet grillées dans la marinade aux herbes, remuer le QimiQ non refroidi jusqu'à consistance lisse; travailler lentement dans l'huile d'olive.

2. Ajouter le reste des ingrédients et bien mélanger. Faites mariner la viande préparée au réfrigérateur pendant 3-4 heures.

3. Retirer la sauce aux épices de la viande, placer sur le gril et badigeonner encore et encore avec la marinade légèrement réchauffée.

4. Servir les poitrines de poulet grillées dans la marinade aux herbes.

36. Poulet rôti de la cocotte

Ingrédients

- 1 poulet (prêt à cuire)
- 4 pommes de terre
- 1 carotte
- 1 tranche (s) de céleri
- 1 oignon
- 1 cuillère à soupe de beurre clarifié
- 1 cuillère à café de poudre de paprika
- sel
- Poivre (fraîchement moulu)
- soupe claire à verser

Préparation

1. Pour le poulet rôti de la cocotte, rincez l'intérieur et l'extérieur du poulet à l'eau froide et séchez-le. Retirez la colonne vertébrale avec un couteau bien aiguisé. Mélangez le sel et le paprika et frottez le poulet à l'intérieur et à l'extérieur.

2. Épluchez les pommes de terre et les légumes racines et coupez-les en gros morceaux, coupez l'oignon en quartiers. Étalez le beurre clarifié au fond de la cocotte, placez le poulet dessus avec l'ouverture vers le bas et placez les pommes de terre, les oignons et les morceaux de légumes tout autour. Faites frire pendant env. 1 heure et demie à bonne chaleur. Si vous mettez le pot dans les braises chaudes, versez souvent de la soupe dessus pour que le poulet ne brûle pas.

3. Découpez le poulet rôti. Si nécessaire, coupez la poitrine en morceaux, les jointures peuvent être prises en main.

37. Brochettes de poulet au curry

Ingrédients

- 18 morceaux de poulet (coupés en cubes)
- 1 trait d'huile d'olive
- 1 cuillère à café de curry
- 1 cuillère à café de sel
- 1 gousse d'ail
- 4 tranche (s) de courgette (jaune)
- 1 pomme

- 3 poivrons (rouges, petits)

Préparation

1. Pour les brochettes de poulet au curry, mélangez la marinade avec de l'huile d'olive, du curry, du sel et une gousse d'ail écrasée.
2. Roulez-y les morceaux de poulet. Placer au réfrigérateur pendant au moins 1 heure.
3. Garnir les brochettes en alternance de tranches de courgettes coupées en quartiers, de viande et de pomme. Enfin, un petit poivron est embroché sur chaque brochette.
4. Il est préférable de griller les brochettes de poulet au curry finies sur le gril dans une tasse à griller. Placez les morceaux de pomme restants sur la tasse à griller avec.

38. Poitrine de poulet avec bacon et menthe

Ingrédients

- 2 filets de poitrine de poulet (sans peau)
- 4 tranche (s) de bacon
- 10 feuilles de menthe poivrée
- Pour le hic:
- 1 cuillère à café de sucre de canne brut (bio)
- 1 cuillère à café de sel gemme (non iodé)
- 1 cuillère à café de poudre de paprika (noble sucré)
- poivre
- 1/2 cuillère à café de livèche (séchée, râpée)

- 1 gousse d'ail (grosse)

Préparation

1. Pour la poitrine de poulet au bacon et à la menthe, frottez d'abord. Pour ce faire, mélangez bien tous les ingrédients et pressez-y la gousse d'ail.

2. Parez les filets de poitrine de poulet, coupez-les en environ 2/3 dans le sens de la longueur et frottez-les complètement (également à l'intérieur). Placer au réfrigérateur pendant au moins 2 heures.

3. Placez les feuilles de menthe en partie dans la poche intérieure et sur le dessus. Envelopper chacun avec 2 tranches de bacon et fixer avec des cure-dents. Préchauffer le fumoir à 180 ° C.

4. Griller indirectement la poitrine de poulet avec le bacon et la menthe pendant environ 25 minutes, jusqu'à ce que le bacon soit croustillant.

39. Brochettes de dinde

Ingrédients

- 300 g de poitrine de dinde
- 3 cuillères à soupe d'huile
- 2 cuillères à soupe de sauce soja
- 2 courgettes
- 200 g de champignons
- 2 poivrons

Préparation

1. Couper la poitrine de dinde en cubes. Mélanger l'huile et la sauce soja, y faire mariner les cubes de viande pendant 30 minutes.

2. Coupez les courgettes, les champignons et les poivrons en petits morceaux.

3. Égouttez un peu la viande et placez-la sur les brochettes en alternance avec les légumes.

4. Étalez le reste de la marinade sur les brochettes, placez-les sur une plaque à pâtisserie et faites griller au four pendant environ 15 minutes en les retournant une fois.

5. Disposez et servez les brochettes.

40. Ailes de poulet avec glace au miel et à l'érable

Ingrédients

- ailes de poulet
- graines de sésame

Pour la marinade:

- 4 cuillères à soupe d'huile d'olive
- 2 cuillères à soupe de poulet à frotter
- Miel-Érable-Glace

Préparation

1. Les ailes de poulet sont d'abord lavées et épongées. Ensuite, vous êtes frotté avec la marinade et réfrigéré pendant au moins 2 heures pour que les épices puissent s'imprégner. Les ingrédients pour le glaçage sont également mélangés de la même manière.

Grillage

2. Le gril est préparé pour une cuisson directe et indirecte à env. 230 - 250 ° C. Les ailes de poulet sont d'abord grillées à feu direct pendant 6 minutes, en les retournant au bout de 3 minutes. Maintenant, placez les ailes sur la zone indirecte et faites-les griller encore 10 minutes. Ensuite, vous enduisez complètement les ailes de glaçage et faites griller les ailes pendant encore 5 minutes. Ensuite, les ailes de poulet sont à nouveau glacées et saupoudrées de

graines de sésame. Après 10 minutes supplémentaires, les ailes sont prêtes.

41. Brochettes de maïs et de laurier

Ingrédients

- 2 épis de maïs cuits (boîte ou emballage sous vide)
- 10 feuilles de laurier fraîches
- 1 cuillère à soupe d'huile d'olive
- poivre citron
- sel
- 1 pincée de sucre

Etapes de préparation

1. Égouttez les épis de maïs et coupez chacun en 6 tranches.

2. Placer alternativement les feuilles de maïs et de laurier sur 4 brochettes grillées.

3. Badigeonner tout autour d'huile et faire dorer sur le bord du gril chaud pendant 10 à 15 minutes, en les retournant de temps en temps. Assaisonner avec du poivre de citron, du sel et une pincée de sucre et servir.

42. Aubergines grillées

Ingrédients

- 20 g de sésame non pelé (2 c. À soupe)
- 9 cuillères à soupe de pâte de miso rouge
- 70 g de sucre de canne brut
- 4 cuillères à soupe de mirin
- 2 cuillères à soupe de vinaigre de riz
- 6 cuillères à soupe de bouillon de légumes classique
- 2 cuillères à soupe de sauce soja légère
- 800 g de grosses aubergines (2 grosses aubergines)
- 3 cuillères à soupe d'huile de colza

Etapes de préparation

1. Faire griller les graines de sésame dans une petite casserole à feu moyen jusqu'à ce qu'elles soient dorées. Retirez-le du poêle et laissez-le refroidir.

2. Mettez le miso, le sucre, le mirin, le vinaigre de riz, le bouillon de légumes et la sauce soja dans une petite casserole. Porter à ébullition à feu moyen en remuant puis réserver.

3. Lavez les aubergines, séchez-les et coupez-les en deux dans le sens de la longueur. Coupez la pulpe en croix sur les surfaces coupées. Faites chauffer l'huile dans une grande poêle antiadhésive.

4. Faites frire les moitiés d'aubergine l'une après l'autre sur les surfaces coupées jusqu'à ce qu'elles soient dorées pendant 3-4 minutes. Retourner et couvrir dans la poêle à feu moyen pendant encore 3-4 minutes jusqu'à ce qu'ils soient tendres.

Ensuite, placez le côté peau vers le bas sur une plaque à pâtisserie.

5. Badigeonner avec le mélange mirin et miso et griller pendant 4 à 5 minutes sous la grille du four préchauffée. Saupoudrer de graines de sésame et servir.

43. Maïs grillé en épi avec parmesan

Ingrédients

- 4 épis de maïs
- sel
- 1 pincée de sucre
- 50 g de parmesan (1 pièce)
- 1 citron vert
- 2 cuillères à soupe d'huile de tournesol

- 30 g de beurre de yaourt (2 cuillères à soupe)
- sel de mer
- poudre de piment

Etapes de préparation

1. Nettoyez les épis de maïs et laissez mijoter dans de l'eau bouillante avec du sel et du sucre à feu doux pendant environ 15 minutes.

2. En attendant, râpez le parmesan. Lavez le citron vert à l'eau chaude et coupez-le en quartiers.

3. Sortez les épis de maïs du pot et égouttez-les. Ensuite, étalez une fine couche d'huile et faites griller sur le gril chaud pendant 10 minutes, en les retournant de temps en temps.

4. Couvrir les épis de maïs avec des flocons de beurre, assaisonner de sel et de piment et saupoudrer de parmesan.

Servir les quartiers de lime avec les épis de maïs.

44. Pommes de terre grillées aux herbes

Ingrédients

- 800 g de pommes de terre cireuses
- sel
- 1 branche de romarin

- 1 gousse d'ail
- 1 échalote
- 6 cuillères à soupe d'huile d'olive
- huile pour le gril
- herbes fraîches mélangées pour la garniture
- 1 cuillère à soupe de jus de citron pour arroser

Etapes de préparation

1. Lavez soigneusement les pommes de terre et précuisez-les dans l'eau bouillante salée pendant environ 20 minutes.

2. En attendant, faites chauffer le gril.

3. Lavez le romarin, secouez-le, retirez les aiguilles et hachez-le finement. Éplucher l'ail et l'échalote, hacher finement et mélanger avec le romarin, l'huile, le sel et le poivre.

4. Égouttez les pommes de terre, laissez-les s'évaporer, coupez-les en deux,

mélangez-les avec l'huile aux herbes et placez-les avec la surface coupée vers le bas sur le gril chaud et huilé. Griller pendant 3-4 minutes, retourner et griller encore 3-4 minutes. Badigeonner avec le reste de la marinade encore et encore.

5. Servir les pommes de terre aux herbes fraîches, arroser de jus de citron et servir immédiatement.

45. Asperges vertes grillées

Ingrédient

- 1 kg d'asperges vertes
- sel
- du sucre

- 50 g de beurre fondu
- poivre du moulin
- 1 citron non traité coupé en quartiers.

Etapes de préparation

1. Éplucher le tiers inférieur des asperges, couper les pointes ligneuses et précuire les bâtonnets dans de l'eau bouillante salée avec une pincée de sucre pendant 3 minutes. Égoutter, rincer à l'eau froide et laisser égoutter.

2. Faites chauffer le gril.

3. Griller les asperges sur le gril chaud pendant 3 à 5 minutes, en les retournant de temps en temps. Disposer sur une assiette, saupoudrer de beurre, assaisonner de sel, poivre et servir garni d'un quartier de citron chacun.

46. Tomates couscous grillées

Ingrédients

- sel

- 2 cuillères à soupe d'huile d'olive
- 200 g de couscous instantané
- 50 g de pignons de pin
- ½ frette de persil
- 1 bouquet d'oignons verts
- 30 g de raisins secs
- 1 cuillère à café de poudre de paprika rose vif
- 1 cuillère à café de cannelle
- poivre
- 1200 g de tomates (6 tomates)

Etapes de préparation

1. Porter à ébullition 250 ml d'eau salée avec l'huile. Retirer du feu et verser le couscous.

2. Remuer brièvement, couvrir et laisser tremper 5 minutes.

3. Mettez dans un bol et égouttez avec une fourchette.

4. Faire griller des pignons de pin dans une poêle sans gras.

5. Lavez le persil, secouez, hachez les feuilles. Nettoyez, lavez et émincez les oignons de printemps.

6. Mélangez le couscous avec les pignons de pin, le persil, les oignons nouveaux, les raisins secs, le paprika et la cannelle. Assaisonnez avec du sel et du poivre.

7. Lavez les tomates. Coupez un couvercle et grattez les graines avec une cuillère à soupe.

8. Assaisonner l'intérieur des tomates avec du sel et du poivre et garnir de couscous. Remettez les couvertures.

9. Griller les tomates sur une plaque de cuisson légèrement huilée sur le gril moyen-chaud pendant 10 minutes. Couvrez les tomates avec un bol en métal (ou faites-les griller sous une bouilloire fermée, si vous en avez une).

47. Courgettes grillées au fromage de brebis

Ingrédients

- 600 g de courgettes
- 3 gousses d'ail
- 8 cuillères à soupe d'huile d'olive
- sel
- poivre
- 150 g de feta (45% de matière grasse sur matière sèche)
- 2 tiges de menthe pour la garniture

Etapes de préparation

1. Nettoyez et lavez les courgettes et coupez-les en diagonale en env. Tranches de 0,7 cm d'épaisseur. Épluchez et

hachez l'ail et mélangez avec l'huile, le sel et le poivre, arrosez avec les tranches de courgette et laissez infuser pendant environ 1 heure.

2. En attendant, émiettez la feta en morceaux, lavez la menthe, secouez-la et retirez les feuilles. Faites chauffer le gril, placez les tranches de courgettes sur le gril chaud et faites griller pendant 6 à 8 minutes en les retournant. Arroser d'huile d'ail encore et encore. Saupoudrer de feta et servir dans des assiettes, garnies de menthe.

48. Brochettes de légumes Halloumi

Ingrédients

- 200 g d'halloumi
- 1 courgette
- 2 oignons rouges
- 1 poivron rouge
- 1 poivron jaune
- 4 feuilles de laurier
- 1 cuillère à café d'origan fraîchement haché
- 1 cuillère à café de thym fraîchement haché
- 4 cuillères à soupe d'huile d'olive

127

- 1 gousse d'ail écrasée

- sel

- poivre du moulin

Etapes de préparation

1. Coupez le fromage en cubes de 2 cm. Lavez les courgettes, retirez la tige et coupez-les en tranches de 1 cm d'épaisseur. Épluchez et coupez les oignons en quartiers. Lavez les poivrons, retirez le cœur et coupez-les en petits cubes.

2. Placez les ingrédients en alternance sur les brochettes, avec une feuille de laurier entre eux, si vous le souhaitez.

3. Mélangez les herbes avec l'huile, l'ail, le sel et le poivre et enrobez les brochettes. Laissez infuser brièvement.

4. Préparez le gril à charbon ou préchauffez le gril au four.

5. Placez les brochettes sur la grille (avec la plaque à pâtisserie en dessous) et faites-

les griller jusqu'à ce qu'elles soient dorées pendant 10 à 15 minutes, en les retournant fréquemment.

49. Artichauts grillés au persil

Ingrédients

- 1 gousse d'ail
- 3 cuillères à soupe d'huile d'olive
- 16 petits cœurs d'artichaut
- 1 cuillère à soupe de jus de citron pour arroser
- sel poivre du moulin
- 2 cuillères à soupe de persil haché

Etapes de préparation

1. Épluchez la gousse d'ail, hachez-la très finement et mélangez-la avec l'huile.

2. Nettoyez les artichauts en laissant une partie de la tige reposer et épluchez-les. Coupez les artichauts nettoyés dans le sens de la longueur en tranches d'environ 1 cm d'épaisseur et arrosez immédiatement de jus de citron. Saler, poivrer et griller sur le gril pendant env. 2 minutes des deux côtés (sinon, faire revenir dans un peu d'huile d'olive dans une poêle à griller).

3. Retirer du gril et placer dans un bol, arroser d'huile d'ail et servir tiède mélangé avec du persil.

50. Carottes grillées

Ingrédients

- 800 g de carottes
- 3 cuillères à soupe d'huile d'olive
- ½ cuillère à café de miel liquide
- 1 ½ cuillère à soupe de jus d'orange

- ½ cuillère à café d'origan séché
- sel de mer
- poivre

Etapes de préparation

1. Nettoyez, épluchez et coupez les carottes en deux dans le sens de la longueur. Mélangez l'huile avec le miel, le jus d'orange et l'origan. Brossez la surface coupée des carottes avec et placez-les sur la grille chaude.

2. Fermez le couvercle et faites griller les carottes pendant environ 6 minutes. Assaisonner de sel, poivre et servir sur 4 assiettes.

CONCLUSION

Chaque fois que vous faites un barbecue, vous devez prendre une décision importante sur le type de bois à fumer à utiliser. Le bœuf, le porc, la volaille et les fruits de mer ont tous des saveurs différentes selon le bois. Il est également vrai que certains bois sont associés et complètent des types de viande spécifiques.

Beaucoup des meilleurs experts du barbecue se taisent lorsqu'il s'agit de révéler leurs secrets exacts, car griller ou fumer avec du bois de barbecue est une partie si importante de leur répertoire. Tout, du type de bois qu'ils utilisent à leurs propres recettes de sauce en passant par la façon dont ils assaisonnent la viande avant de griller, peut devenir des armes top secrètes dans leur quête pour rester au top du monde du barbecue.

Lightning Source UK Ltd.
Milton Keynes UK
UKHW021125110521
383520UK00001B/152

9 781802 881257